"咕噜牛爸爸警告他的小妞妞，
千万不要去密林里头，那儿有只凶恶的大老鼠会抓住你。
可是，一个风雪交加的晚上，
小妞妞踮着脚尖，溜出了家……"

风刮得猛，雪下得大，可是咕噜牛小妞妞溜出了她的家。
她带着既兴奋又期待的眼神出发了，
她想亲自去确认爸爸的话。
你想知道小妞妞是否找到了传说中那只凶恶的大老鼠吗？
建议你快跟随着小妞妞，
一同走入神秘森林中去冒险吧！

2005.5.21, 9:25 PM

京权图字：01-2005-2637

Text Copyright © 2004 Julia Donaldson
Illustrations Copyright © 2004 Axel Scheffler
The original edition is in English and published by Macmillan Children's Books, London.
本产品只限中华人民共和国境内(不包括香港、澳门及台湾)销售。任何在授权地区以外销售本产品的行为,均可能构成对权利人的侵害,应承担相应责任。

图书在版编目(CIP)数据

咕噜牛小妞妞/ (英)唐纳森(Donaldson, J.)文；(德)舍夫勒(Scheffler, A.)图；任溶溶译. — 北京：外语教学与研究出版社,2005.5 (2013.2 重印)
(聪明豆绘本系列)
ISBN 978-7-5600-4867-3

Ⅰ. 咕⋯ Ⅱ. ①唐⋯ ②舍⋯ ③任⋯ Ⅲ. 图画故事—英国—现代 Ⅳ. I561. 85

中国版本图书馆 CIP 数据核字（2005）第 049194 号

出 版 人：蔡剑峰
责任编辑：姬华颖
出版发行：外语教学与研究出版社
社　　址：北京市西三环北路 19 号（100089）
网　　址：http://www.fltrp.com
印　　刷：北京尚唐印刷包装有限公司
开　　本：889×1194　1/16
印　　张：2.25
版　　次：2005 年 5 月第 1 版　2013 年 2 月第 21 次印刷
书　　号：ISBN 978-7-5600-4867-3
定　　价：14.90 元
＊　　＊　　＊
购书咨询：(010)88819929　电子邮箱：club@fltrp.com
如有印刷、装订质量问题，请与出版社联系
联系电话：(010)61207896　电子邮箱：zhijian@fltrp.com
制售盗版必究　举报查实奖励
版权保护办公室举报电话：(010)88817519
物料号：148670001

聪明豆绘本系列

咕噜牛小妞妞

朱莉娅·唐纳森 (英)文　　阿克塞尔·舍夫勒 (德)图

任溶溶 译

外语教学与研究出版社
北京

咕噜牛爸爸警告他的小妞妞，
千万不要去密林里头。
"为什么不行？为什么不可以？"
"因为那儿有只凶恶的大老鼠会抓住你。
那个坏家伙我见过一次，
不过那是很久很久以前的事。"

"他长的什么样子？快给我讲一讲，爸爸。
他是不是非常非常凶，非常非常大？"

"我已经记不清楚了。"咕噜牛爸爸说道。
他想啊想啊想，使劲挠着后脑勺儿。

"那只凶恶的大老鼠，非常非常壮，
他有一条带鳞片的尾巴，非常非常长。

他的两只眼睛，红得像两团可怕的火，
一根一根的胡子，比铁丝还要硬得多。"

一个风雪交加的晚上，
咕噜牛爸爸睡着了，呼噜打得震天响。
小妞妞在家里闷得慌。

她认为自己勇敢又胆大，
就踮着脚尖，溜出了家。
风刮得猛，雪下得大。
小妞妞说："我不害怕！"
她一步一步，向密林深处走。

瞧啊，瞧啊！雪地里有痕迹！
这是谁留下的？它会通到哪里去？
从木头堆底下，伸出一条长尾巴。
会不会就是那只大老鼠啊？

那动物咪溜咪溜爬出来。一对眼睛小得很。
他的嘴边没胡子——胡子一根也没有。

"你不是那只大老鼠。""我当然不是。"蛇说道，
"他这会儿准在什么地方，吃着咕噜牛蛋糕。"

风刮得猛，雪下得大。
小妞妞说："我不害怕！"

瞧啊，瞧啊！雪地上有足迹！
这些是谁留下的？它们会通到哪里去？
树洞里露出两只眼睛，闪闪发光亮晶晶。
会不会就是大老鼠的红眼睛？

那动物飞下来。他的尾巴短得很。
他的嘴边也没胡子——胡子一根也没有。

"你不是那只大老鼠。""我当然不是。"回答的是只猫头鹰，
"他这会儿准在什么地方，吃着咕噜牛肉饼。"

风刮得猛，雪下得大。

小妞妞说："我不害怕！"

瞧啊，瞧啊！雪地上有足迹！
这些是谁留下的？它们会通到哪里去？
终于看到了小胡子！还有一个树底下的家！
这就是那只大老鼠的家吗？

那动物走出来。他的眼睛不像火，一点儿也不红。
他的胡子也不硬，他的尾巴毛茸茸。

"你不是那只大老鼠。""我当然不是。"狐狸回答，
"他这会儿准在什么地方，吃着咕噜牛肉干儿喝热茶。"

小妞妞坐在积雪的树墩上。
"全是骗人！"她心里想，
"我不相信，凶恶的大老鼠真会有……"

"不过那儿有只小老鼠，刚刚走出他的家门口。
他不大，也不凶，但到底也算是老鼠。哈哈哈——
当我的夜宵，味道一定顶呱呱！"

"慢着！"小老鼠说，"在你吃我之前，
我有个朋友你得见一见。
只要我跳上那棵榛子树，
就可以把他叫出来——一只凶恶的大老鼠！"

小妞妞听后松开手，
"凶恶的大老鼠——这么说来还真有！"
"你就等着瞧吧。"小老鼠脱身上了树，
大声召唤那只凶恶的大老鼠。

月亮出来了，圆又亮。
一个可怕的影子投到了雪地上。

这是什么动物啊，那么大，那么凶，又那么壮？
尾巴、胡子那么长，见了让人心发慌！
他的耳朵大又长，
肩上扛的榛子就跟巨石一个样儿！

"是那只凶恶的大老鼠！"小妞妞一边逃，一边叫。
小老鼠从树上跳下来，吱吱吱吱得意地笑。

瞧啊，瞧啊！雪地上有足迹！
这些是谁留下的？它们会通到哪里去？

这些足迹通到咕噜牛洞。

在那里，小妞妞已经不再那么英勇。

不过她心里也不再那么闷得慌……

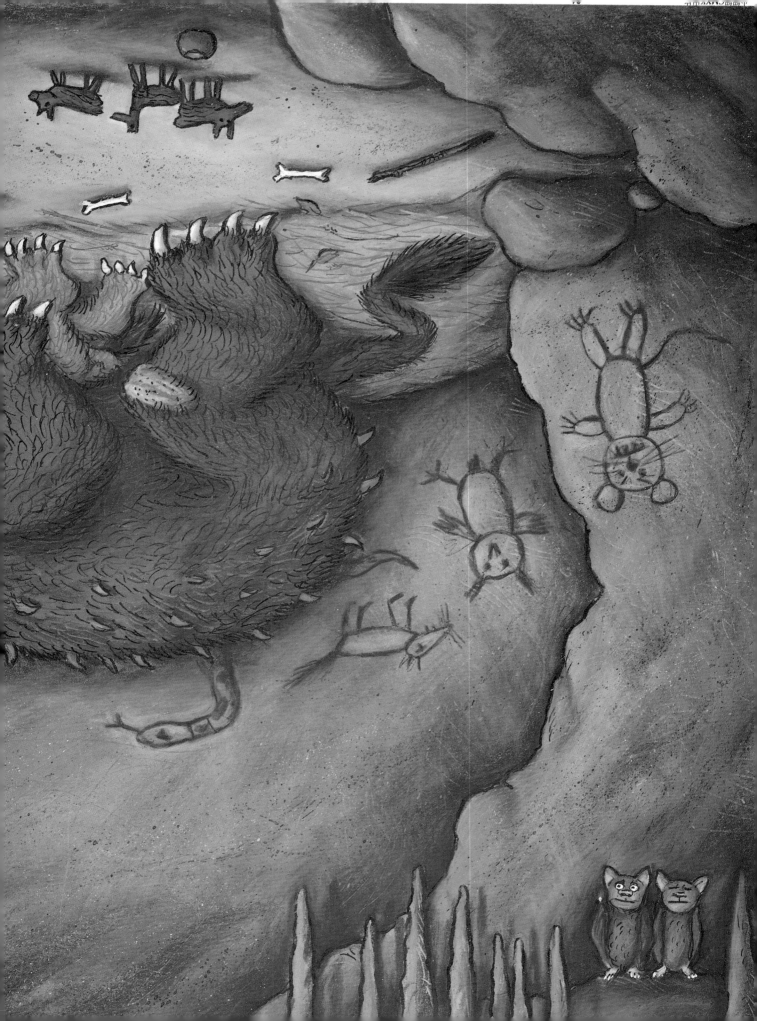

咕噜牛爸爸正在打呼噜，
呼噜打得震天响。

阅读经典图画书 感悟人生大智慧

小老鼠依然聪明 咕噜牛小妞妞也英勇

——梅子涵（著名儿童文学作家，教授，儿童文学博士生导师）

你如果读过《咕噜牛》，那么你会记得那只小老鼠的聪明和那只咕噜牛的逃跑。这么多年过去了，咕噜牛竟然就没有想想，那么一只小小的老鼠，哪里有那么大的力量呢？他根本就没有想，而是停留在错误里，还变本加厉夸大记忆，描绘恐惧。他这么做，父辈的责任是感动人的，可是一个孩子也就可能因此跟着走进他的错误，结果这错误就接着延续，甚至相传永远。很大的咕噜牛惧怕很小的老鼠，成了不可改变的事儿，成了生命的记忆和特点。人类的世界，这样的荒误之事实在不少！

咕噜牛小妞妞开始不信。她胆子很大，想去看看明白。风刮得猛，雪下得大，可是她溜出了咕噜牛洞，走到密林中。这是整个故事里最好的精神，是对孩子的成长最有意义的情节。还是个孩子的咕噜牛小妞妞因此看见了各种的动物——其实就是各种的人。

小老鼠固然还是聪明。站到树上借助月光也借助榛子。可是这对小老鼠来说，只不过是智慧的延续和一个新主意的增添。

咕噜牛小妞妞不一样。她没有听信，是用眼睛直接看见的。月光把站在高高的树上的小老鼠投射到地上，是一个巨大的影子，连尾巴和胡子也巨长，肩上还有巨大的榛子，你要还是孩子的咕噜牛小妞妞不怕，那是不合情理。

可是咕噜牛小妞妞最好不要像她爸爸那样，很多年里不思考、不分析，然后又以和父辈相同的方式描绘给下一代听，这就会真的成为生命的记忆、生命的恐惧、生命的习性、生命的相传了。

一个有胆量的人，不等于就是什么都不害怕，永远不逃跑。能够把别人的凶险描绘和叮嘱搁在一边，亲自去看见和听见，已经是英勇！咕噜牛小妞妞算是英勇的。

我愿意相信，咕噜牛小妞妞不会再重复她爸爸的错误和描绘，我甚至这样想象，咕噜牛和小老鼠，他们的后代，将来成为了非常好的朋友。他们在一起吃饭、喝酒、饮茶，而不是借着吃饭、喝酒、饮茶，把对方吃掉。吃饭、喝酒、饮茶的时候，他们说起前辈间的事，觉得滑稽也有触动，哈哈大笑，陷入沉思。

而真正聪明的我们，现在就已经开始沉思。因为我们是真正聪明的。

阅读经典图画书
透视艺术的幽默趣味

跟着小妞妞的眼睛去冒险

——林佑儒（台湾著名儿童文学作家）

　　1999年，英国著名儿童文学作家朱莉娅·唐纳森与德国著名插画家阿克塞尔·舍夫勒合作的《咕噜牛》缔造出数百万册的销售佳绩，咕噜牛这只看起来憨厚又可爱的怪物迅速红遍全英国。2004年8月，朱莉娅与阿克塞尔又携手合作推出《咕噜牛小妞妞》，让可爱的怪物咕噜牛再度出场。令人惊喜的是，这次咕噜牛有了一个可爱的小宝宝——小妞妞。她的头顶上刚冒出如嫩笋一般的角，一身浅褐色的毛皮，嘴里尚未长出如咕噜牛爸爸的獠牙，但最重要的是小妞妞和她的爸爸一样，有一双朴实纯真的眼睛。

　　在这本书中，插画家阿克塞尔使用不透明的压克力颜料来作画，画风清新，色彩鲜艳，构图平稳呈水平式。整本书里特别值得注意的是小妞妞的眼睛，透露出了丰富的表情和内心活动。在寒冬的山洞中，咕噜牛爸爸告诫小妞妞密林深处的危险，父女对望的眼神充满温馨。当咕噜牛爸爸对小妞妞说大老鼠的种种可怕之时，小妞妞的眼神中出现了担心与恐惧。然而，在爸爸沉沉入睡之后，小妞妞却忍不住好奇心和冒险的天性，于是她带着既兴奋又期待的眼神出发了，她想亲自去确认爸爸的话。

　　你想知道小妞妞是否找到了传说中的那只凶恶的大老鼠吗？建议你快跟随着小妞妞的眼睛，一同走入朱莉娅和阿克塞尔所创造出的神秘森林中去冒险吧！